U0143671

蒙學善本

國家圖書館藏·蒙學善本

書言故事大全

第四册

鳳凰出版社

帝訪廣成

煆煉眞丹

帝訪廣成

煅煉真丹

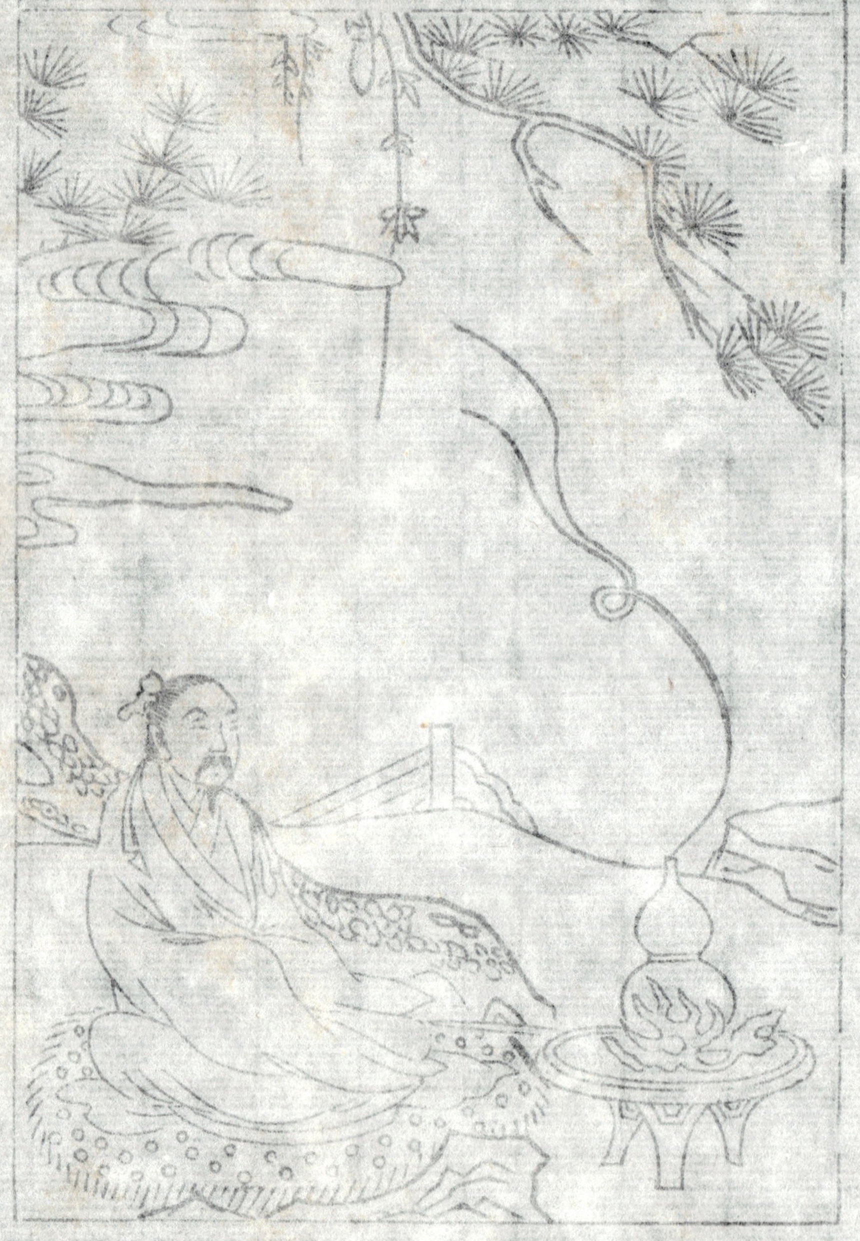

書言故事大全卷之四

廬陵　胡繼宗　集
安成　陳玩直　解

○神仙類

廣成子 祝人壽云壽如廣成子（莊子）黄帝聞廣成子在崆峒（音空同）之上（崆峒山名）往見之問曰聞吾子達於至道（吾子黄帝言廣成子也達通也言其能通於至道）敢問治身柰何以得長久（治修養也問其如何修養此身方得長生不死）廣成子曰至道之精窈窈（杳同）冥冥（窈冥遠而不可窮也）至道之極昏昏默默（昏默）

（微而不可見也）無視無聽抱神以静（抱神存於心眼無所視耳無所聽則神存於心以至於静而不擾也）形將自正必静必清（外形欲其自正必須中心安静清寧所謂欲治其外先治其内）無勞爾形無揺爾精（形骸無得勞苦精氣無得揺動）乃可長生（夫如是乃長生之術也）慎内閉外多知為敗（慎内謹戒於心而不妄思想也閉外閉目勿亂視也多知因多見心中則動至於敗神）我守其一（專正於心）以處（上声）其和（和和其氣也）故千二百歳而形未嘗衰

隔两塵 俗云塵縁未滿韋子威師事丁約一日辭去謂子威曰郎君得道尚隔两塵（儒家謂之世釋家謂之刼道家謂之

塵子感猶有兩世塵緣未滿丁約故告之

木公東王公金母西王母 仙傳去声木公亦為東王父又云東王公西王母亦云金母金母何氏一曰維氏昔道炁古氣字無為自然古昔道炁無所作為乃有自然之妙先以東華至真之炁化生木公東華東極天宮以主陽和之炁東方屬陽故生木公以主其炁而和東方屬木故云木公又以西華至妙之炁化生金母西華西極天宮配西方母養群品配對也對西方生物之母以養諸品西方屬金故名金母男子得道名隸太公隸屬也女子得道名隸金母漢時小兒歌曰揖金母拜木公人不識惟張子房知之

董雙成許飛瓊 問候婦人引譬問候引譬喻當用董雙成許飛瓊西王母降武帝殿武帝漢武帝也有侍女四人帝問其名句曰王母荅董雙成許飛瓊婉陵華段安香張子房說

安期 祝壽引用凡祝人壽引安期為用皆如安期生之壽抱朴子葛洪號抱朴子著書遂以為名安期生賣藥海邊瑯琊人傳世見之瑯琊郡屬山東今沂州是也瑯琊之人子孫世世相傳見其賣藥計已千年大約三十年為一世千年則三十世矣

羨門 羨音涎去声祝壽用長生訣事用長生秘訣之事以祝壽紫陽真

人周義山入蒙山（周義山號紫陽真人）遇羨門子（名子高古仙人也）乘白鹿佩青髦（音毛）之節（佩帶也髦節英毬也）從（去声）十餘玉女義山再拜乞長生要訣羨門曰子名在丹臺玉室何憂不仙

偓佺（音握詮）問眷用蓬萊偓佺之眷（列仙傳）（去声）偓佺槐里採藥人也食松實（吃松子）形體生毛四寸能飛行捷（音切）步

籛鏗（音煎坑）○祝壽用（句）籛鏗即彭祖讀有導引術（導引行氣也彭祖有行氣之術）有疾閉氣以攻所患運行體中（但有疾則閉氣以攻治所患之處運氣遍行於身中）復下達趾末即體和（達通也趾足也運氣周遍下通至足末之處体則和矣）常云上士異床（上士上等之人也異不同也上等之人生而有道性不好色故不同床而睡）中士異被（中等之人欲學道率其性而後成道故不共被而卧居其次也）服藥百裹不如獨卧（獨卧者戒色也能戒色勝如吃藥）人集其術為彭祖經（神仙傳）（去声）彭祖壽八百歷三代（歷過也三代者為天子如夏商周之類是也）喪（去声）四十九妻五十四子

壺公言壺中之天本此（漢方術傳）壺公賣藥懸空壺於肆（店也）頭日入後輒（音折）飛入壺中（輒專也）費（音肺）長（音掌）

房於樓上見之知其非常人乃日進餅餌（日者日日不断也）公語（去声）曰（語告也）隨我跳入壺長房一跳即入但見樓觀（去声）五色重（平声）門閣道侍者數十人公曰我仙人也見謫暫寓人間耳（寓寄也壺公自言遭貶謫暫時寄身人間也）

【辟穀絕粒】（辟音必）神仙不食飲曰辟穀絕粒（鄴侯家傳）（去声）李泌（音弼）少（音紹）時身輕能屏風上行薰籠上立異人云此兒十五必飛騰父母惡（烏去声）之忽聞空中異香作蒜（音筭）汁（音只）潑之恐其飛騰也既能辟穀每導引（導引行氣）骨節珊然人謂鎖子骨少（紹）為詩曰天覆（浮去声）吾（覆盖也）地載吾天地生吾有意無不然絕粒升天衢（升天為仙也）不然鳴珂遊帝都（遊帝都為官者朝帝則佩玉珂。行則鏘然而鳴）安能不貴復不去（不去不能去為仙也）空作昂藏一丈夫（昂藏自尊大也言不為官又不成仙徒為一大丈夫也）

【導引】擊運脩養為導引（華佗傳）（佗音柁傳去声）古之仙者為導引之事熊經鴟（音痴）顧（熊好學木而引氣謂之熊經。經如自經人效之曲腰兩手至地若着力舉起大木鴟顧若鴟之頸後頭與背相轉也一云经如人憂沙也）引接腰體（以熊经鴟顧之法為導引引氣以接腰体）動諸關節以求難老（骨節搖動氣血脉絡貫通不致生病則唯老）

胎息胎食 内傳去声習閉氣而吞之名曰胎息習漱舌
下泉咽之名曰胎食抱朴子曰胎息者能不以鼻
口嘘吸如在胎中
外丹内丹 道家以烹鼎金石為外丹用金色藥石於鼎以水火煉之
則成丹實由外來吐故納新為内丹吹於呼而吐故熈腰吸而納新以口吐濁
氣曰吐故鼻納清氣曰納新此乃本身元氣實在内所謂内丹
河車朱雀 車音居陰真君歌曰北方正氣為河車北方正氣
乃是水也河車見下節東方甲乙成丹砂東方甲乙乃是木也兩情合
養為一體兩情合養北与東水生木也所以合養為一体朱雀調運生金

花朱雀南方火也既有水有木則用火以燃水所謂調運水火蕪脩煉成丹藥則生金花也
黃芽紫車 音尺下同姹女玉液姹音茶上声脩煉法河車是水
朱雀是火取水一斗鐺音撐中以火炙音只之百沸音廢
○沸水滚也致聖石九兩其中初成姹女聖石藥名也姹女水名也
次謂玉液後成紫色謂之紫河車句白色曰白河
車句青色曰青河車句赤色曰赤河車句亦名黃
芽樂天詩白樂天又名居易黃芽與紫車正謂此
姹女真汞 音洪上声汞水銀滓音查參同契曰魏伯陽作參同契二卷其
說似解周易其实論作丹之意河上姹女得火則飛河上則真汞也漢真

人歌姹女隱在丹砂中舊注姹女真汞

身中鉛汞 鉛氣力 汞精血

坎離龍虎 坎腎 離心 龍汞 虎鉛

龍從火裏出虎向水中生 東坡云人生死自坎離自從

也坎為水离為火坎離交則生分則死此一節也離為心坎為

腎此二節也龍者汞也精也血也出於腎肝藏之坎之

物也龍者汞也為精為血出腎乃水也藏於肝。肝屬木。木生火。煖之不冷也。坎之物也。言龍出

腎乃水也虎者鉛也氣也力也出於心肺生之離之物

也虎者鉛也為氣為力出心乃火也藏於肺肺屬金金生水。水滋之不枯也。离之物也。言虎出心

乃火也。此三節言水火相交而不分也不學道者龍常出於水龍飛

而汞輕不曉修養者龍出於水而死火龍則踐而汞輕也虎常出於火虎

走而鉛枯虎出於火而無水虎則走而鉛枯矣故真人曰龍從火裏

出虎向水中生龍本水而出於火水得火而不吟虎本火而生於水火得水而不枯

是乃水火之相生也人能正坐瞑目調息讀以人久調息謂使句氣息其

氣不促也以久以調息之日甚久則丹田濕而水上行丹田臍中也臍中

若濕而不枯則心火墜腎水向上行也翕翕上声然如雲蒸於泥丸泥丸頂

門也言腎水翕然如雲之盛而鬱蒸於頂門火為水妃音配熱必從之妃對也火

能熱而水必從也所謂龍從火裏出也火為水妃云上此繳正題頭龍

出於火則龍不飛而汞不乾（音干○龍得火而飛所以不飛而精氣不乾也）旬日後腦滿而腰足輕常捲舌上舐（音始）懸癰（懸癰上号也）久則汞下（遐上声）入口嚥送真至丹田久則化為鉛所謂虎向水中生也（龍出於火至此亦是繳正題頭也）

交梨火棗

（晋）許穆為護軍長（音掌）史入華陽洞得道王母第二十女紫微夫人常降教之（句）後書與穆曰玉醴金漿交梨火棗飛騰藥也（言玉醴金漿交梨火棗此二藥君契之身輕即能飛騰也）不比金丹已生君心中以君心猶荊棘相雜（荊棘相雜言其心繫塵俗道心不全）是以二樹不見（二樹交梨火棗也道心不全是以不得見此二樹也）又云玉醴金漿交生神梨方丈火棗元光靈芝我常與山中許道士（許道士許穆之子名宸小字玉斧為侍仙官言我當以此藥與許宸）不與人間許長史（不以此藥与許穆）

尸解

神仙化去曰尸解（瑣言）凡今之人死視其形如生乃尸解也足不青皮不皺（鄒去声）亦尸解也目光不毀頭髮盡脫不失其形骨者皆尸解也有未斂（連去声）而失尸者有衣在形去者有頭髮脫而形去者白日去者謂之上尸解衣半去者謂之下尸解向曉暮之際去者謂之地下主者得真仙誥

地行仙 上壽用上祝人壽用地行仙張安道生日東坡以拄扶為壽以拄杖為壽者贈老人扶行者也有詩云先生真是地行仙住世因循五百年

南宮 超薦用速詣南宮（真誥）有陰德者徑補仙官讀或入南宮受化言凡人在世能行陰德死後径真補為仙官又或入南宮受度也不拘職位讀在世罪福多少讀稱量音良處音佇分區處曰處分別曰分。言人在世。不拘職分大小不拘造罪積福多少死後冥司称量裁處分別大都行陰德恤窮者讀皆詣南宮為仙大都摠也摠能廣行陰德恤窮者皆得詣南宮為仙

摩金狄 上壽用（後漢）蘇子訓有神異之道人於長安東覇見與老翁共摩銅人摩以手摩挲也相謂曰子訓與老翁共言適見鑄此已五百歲矣適往也。猶言往日也。言往日曾見鑄此於今已五百年矣（張天覺詩）鶴髮飄飄紫府仙鶴髮。髮如鶴毛之白也。言髮白飄飄然真乃紫府之神仙也摩挲音梭金狄不知年金狄。其色似金之黃。其實銅也。以銅人作夷狄之象。故曰金狄

鑄金人 金狄事原鑄金狄之原本于此此者下文之故（秦皇）二十六年有十二人長五丈足履六尺皆夷狄服見音現於臨洮音滔○臨洮府屬鞏昌。秦始皇起築長城之處始皇以為瑞始皇以所見十二人

爲祥瑞、銷兵器咸陽讀鑄金人十二象之銷。溶也兵器鎗刀劒
戰之屬。咸陽始皇立都之所也。象之鑄人與所見之人一般長大也重去声名二千石
十一人各有二千石之。重一百二十斤爲一石然則二十四萬斤鐵鑄一人置宮庭中
後十二年秦亡置安置也安置所鑄人也

麟脯音甫。脯乾肉也上壽用〈神仙傳〉去声總真真人王方平
度括蒼民蔡經尸解王方平道號總真真人庚化也。括蒼處州有括蒼山十
年經還家云七月七日王君来王君方平也作一百石
飲待從去声官經分付其家作酒一百石以待諸從仙官。古人以斗斛量酒其日
果至召麻姑初七日果至乃召麻姑麻姑仙女也姑至各進行厨金

盤玉杯麟脯仙饌行厨見前叙擾類麟脯以麒麟肉爲乾脯以供盤饌也

青精飯〈杜詩〉豈無青精飯使我顏色好道士鄧伯元受得制造青
精石爲飯之法食之顏色不老陶隱居登真訣有乾石青精䭀飯謂食也其法即南獨草木侵米蒸
飯暴乾其色青如鷖珠食之延年子美所謂青精飯也〈釋註〉乾音干䭀音䭀鷖音殹

碧海菜〈漢武內傳〉去声○漢武前漢武帝也王母曰仙之上藥有
碧海之琅菜言碧海琅菜仙家上品之藥也

蟠桃蟠音盤上壽用〈漢武故事〉西王母降出桃七枚音梅
自啖淡上声二枚啖吃也五枚與帝帝留核欲種母曰
此桃三千年一開花三千年一結實指東方朔曰

此桃三熟此兒已三偷東方朔為郎在武帝左右寵用之

冰桃碧藕 周穆王集方士春霄宮方士道士也王母乘鳳輦而來玉帳高會。進萬歲氷桃千年雪藕

閬風瑶池 問眷閬風 仙聚 仙傳 崑崙圃閬風苑皆仙覽也有玉樓十二玄室九層玄幽深也左瑶池王母所居右翠水環以弱水九重平声○弱水無力不能乎物船不能到非飈音標車音居羽輪不可到飈車風車也羽輪輪有羽翼也言非風車羽翼之輪飛空。則不能到

五城十二樓 李白詩 天上白玉京。十二樓五城仙人撫我頂撫以手持也亦曰以手摩挲也結髮受長生結髮幼年時也言自幼受仙人長生之術也

蓬萊弱水 言相隔越不啻音世蓬萊弱水之隔啻止也言相隔不止於弱水也 仙傳 謝自然泛海求蓬萊謝自然冀州仙女也蓬萊海中仙山也一道士謂曰蓬萊隔弱水三十萬里非飛仙不可到

三神山 翠蓬三神山之眷 三島 海中有山曰島 郊祀志 蓬萊方丈瀛洲三神山在渤音盆名也金銀為宮闕

十洲 十洲三島仙眷 十洲記 漢武帝既見西王母言八方巨海之中有祖洲瀛洲玄洲炎洲長洲元洲

流洲生洲鳳麟洲聚窟洲並是人跡稀絕處

方壺負嶠蓬壺 方壺仙春列子湯問篇渤海東有壑。中有五山。一岱輿。二負嶠。三方壺。四瀛洲。五蓬萊。上音賞下遐上声往還不得暫峙音恥。五山不得暫時停駐。仙人居上所以不安仙聖訴於帝乃使巨鰲十五舉首戴之。迭為三番迭。更迭也。每一番五鰲。三番則十五鰲也。六萬歲一交焉交替換也五山始不動

蘂珠 蘂宮 蘂珠仙春 元稹詩稹音真閑開蘂珠殿神仙宮殿也

紫府樓居 紫府樓居仙春 **六帖** 銀宮金闕紫府清都紫府清都神仙境也宮闕皆以金銀為之郊祀志仙人好音號樓居漢武帝以道士公孫卿言仙人好樓居。於是作首山宮建章宮。光明宮。千門萬户皆極侈靡欲神仙來居其上也

芙蓉城 芙蓉城星聚仙春 **詩話** 石曼音萬卿卒後人見之者。恍惚如夢。言我今為仙所主蓉城主。掌管也欲與其人遊不得欲與。曼卿欲與也。其人見曼卿之人也。不得其人不得與曼卿遊芙蓉城也

〇釋教類

【佛】漢明帝夢金人長丈餘飛空而下。遐上声訪之群臣訪。問也問群臣金人何人也傳毅曰。西域有神。其名曰佛西域見下文乃使蔡愔音陰等往天竺音竹○等非蔡愔一人也天竺在西方身毒國也求其道求佛家之法得其書取得佛家經典四十二章及沙門僧也○摩騰竺法蘭由是化流中國周昭王時釋迦佛生而毅始立明帝感夢。遂遣博士等。一十八人往西域求迎佛法而佛教始入中國○傳毅為通士舍人

【佛日】䟽語用皈依佛日。李士謙善論去声玄理有客問三教優劣三教釋道儒也。優強也。劣弱也。問三教之中強弱如何士謙曰佛日也道月也。儒五星也。日月星三光也。三教象三光三教之道。若日月星之並明也

客不能難去声○難詰問也。答之甚明。則不能難也

【象教】言奉佛皈心象教【杜詩】方知象教力。象教者。謂如來既化如來佛也既化佛已化身也。諸大弟子。想慕不已。遂刻木為佛瞻敬之。以形象教人也

【瞿曇】音談佛曰瞿曇【坡詩】坐令平声魯叟作瞿曇魯叟荊公謂孔子也【舊註】瞿曇佛也

【優曇鉢】預脩祝壽用事人生在時納受生錢曰預脩祝頌凡人納冥錢當有壽是人甚希有是此也。希罕少也。言此人預先納受生錢而有壽者。世上少有也過於優曇鉢過。勝也。言此之人勝於優曇鉢也䟽優曇鉢花名今作花鉢

誤應去声瑞三千年一現現則金輪王出優曇鉢應以為瑞。出法華經

般若臺般音鉢若音惹超薦用登般若臺般若此云智慧也。言受超薦者。則能智慧也陳文達誦金剛經有人入冥府。見築臺云。此般若臺待陳文達出法苑珠林

般若航超薦用乘般若航清涼禪師云。夫音扶般若者若海之慈航航船也。般若能度化於人。使之智慧若海中之船度人登於彼岸昏衢之巨燭四達之路曰衢。俗云十字路是也言般若又如巨烛以照人昏暗之路也

兜率天兜率雨去声下同超薦用登兜率天沐兜率雨兜率天雨摩尼珠雨者被具恩猶言賜也超薦登兜率天則賜摩言珠清淨摩尼宝珠映於五色言性照圓明也護世城雨美膳膳食也。超至互世城則賜美飲食阿脩羅天雨兵仗兵仗。兵甲隊仗也。超至阿脩。羅天則賜之以兵仗互持闍浮世界雨清淨闍浮世界今人間是也超脫生於人間則賜之以清淨。出法苑珠林

浮屠教稱佛教曰浮屠教**梵語**佛陀或云浮屠部多毋馱音它没馱皆是五天梵語楚夏並釋為覺楚。楚地也。夏中國通称也釋解也覺覺悟也楚地及中國之人並鮮釋以上數等梵語為覺悟合音昜稱爾佛合總也摠称以上數等梵語又謂之称佛（袁宏）**漢記**浮屠佛也佛者漢言覺也中華之語曰漢中華之人言佛為覺以覺悟群生也覺悟

自曉也。使群生自能悔過以入道也

佛居塔 又作浮圖說苑 阿育王所造釋迦音脚真身舍利塔始生之佛名釋迦舍利身骨也。得道者荼毗荼毗火焚也。焚其身有五色如珠光瑩堅固釋迦佛既化身。阿育王所以塔以藏其真身之骨及舍利造見於明州鄞音銀縣太宗命取舍利讀度唐入声開寶寺地讀造浮屠十一級以藏之麼量也唐太宗取釋迦佛之舍利量度。開寶寺之地勢造塔十一層以藏之魏主建鹿野浮圖於苑中之西山讀與禪僧合之建。立也。鹿野浮圖。塔名也。与賜也。魏主建塔於西山賜與禪於其中

僧德士尼 大藏一覽藏去声 男曰優婆塞音色又曰德七

女曰優婆夷又曰尼

沙門 僧曰沙門漢紀袁宏看 沙門漢言息也。息欲而歸於無為也休息私欲不致妄想邪思以至無為

桑門 僧曰桑門梵云沙門那諸何切○梵語之中言僧為沙門那或曰桑門或人又言僧為桑門唐言勤息唐之時人又言僧為勤息言勤息慕道休息私欲譯音亦云勤行譯者四夷之音久言僧為勤行謂僧能勤於脩行又曰善覺四夷之音又謂僧為善覔言其善能覺悟於道也

沙弥 僧曰沙弥落髮後稱沙弥華字如言為息慈華中国文華之地中国之人言僧為息慈復見下又謂安息於慈悲之地又謂惡

悪行慈也

比丘（比音皮）僧曰比丘。梵語云比丘秦言乞士（秦晋末姚萇據長安國號秦。桃萇之子興好佛法言僧為乞士復見下文）謂上於諸佛乞法資益慧命下於施（去声）主乞食資益色身

上人 僧曰上人有過能自改名上人（上品之人不欺而善）內有德智外有勝行（音幸。德者心正而無邪思也。智者無所不知也。行者言語行事也。言行有道。以故勝於人也。有德智勝行內外兼備也）在人之上名上人（以上並見要覽）

苾芻（音審芻）僧曰苾芻（尊勝經）苾芻乃草有五義生不背日冬夏常清（清瀏淨也。或曰清當作青）體性柔軟香氣遠騰引蔓傍布（蔓藤也）為佛徒弟故以名僧（徒弟弟子也。苾芻有此五等之義為佛家弟子。故以其名僧言僧之性亦若此五義也）

紫衣 稱僧曰紫衣僧史畧曰。唐則天朝（音潮。則天唐高宗后武氏也。武氏廢太子為廬陵王而自治天下是為則天武氏）僧法朗等賜紫袈裟僧之賜紫自唐天后始

五戒 行者稱五戒。凡出家師已許之（為師者許其為僧而納為徒弟）乃為受五戒謂之一不殺生。二不偷盗三不邪淫四不妄語。五不飲酒

蓮社 音捨脩行結為蓮社（高僧傳）去声僧惠遠居廬山與劉遺民等結白蓮社晋義熙十年遠公與十八賢同脩淨士號白蓮社以書招陶淵明淵明曰若許飲即往淵明自言弟子性嗜酒許我有酒即往矣遠許之脩行者本戒酒。遠公勉淵明入社。以共脩行。詐許有酒遂造焉淵明以其許飲而即往焉陶攢眉而去攢皺促也。淵明既至目無酒。故不悅攢眉而去

檀那檀越 僧道稱施去声下同主曰檀那檀越（梵語）陀那鉢底唐言施主稱檀那者。即訛陀為檀本是陀那誤呼陀為檀去鉢底。故曰檀那也陀那訛為檀那。又除去鉢底三字。故曰檀那又稱檀越者。謂此人行檀施言此人能以財物施捨與僧道故又称檀越能越貧窮海故能濟救貧乏而廣布恩也

伊蒲饌 齊供食曰伊蒲饌（後漢）楚王英詣闕以縑音縑贖罪縑絲繒也詔報曰王好音號黃老之言黃老。軒轅黃帝之子也尚浮屠之教高尚文餙於佛教還其贖以助伊蒲塞音色桑門之饌伊蒲塞即憂婆塞華言近住言受戒行甚近僧住也○下詔言楚王好佛教還其贖罪之縑以助其齊僧之飲饌

香積飯 稱齋廚曰香積之廚維摩居士遣化菩薩往衆香國禮佛。言願得世尊所食之餘食吃也。言願世尊所吃餘剩之飲食欲以娑婆世界施去声作佛事。於是香積如來。

以衆香鉢盛[平声]飯與之[世尊與如來皆称佛之號也於是香積如來遂以衆香國之鉢盛飯與之也]

梵唄[排去声]梵音曰梵唄梵語云唄者華言止斷外事[華見前使所梵唄之音不致外慕而起邪思也]外事止斷時任[任，堪]為佛事[也言外事若能止斷則心不雜而堪為佛事也]唄者讚詠之聲也若曹子建遊魚山忽聞空中梵天之音清響哀惋[烏貫切]獨聽良久。乃摹[模同]其節寫為梵唄自此始也

風旛之論[去声]敘僧閒[去声]闘踈奉風旛之論傳燈録[宋真宗時一僧做之楊太年冊]六祖惠能初寓法性寺[唐高宗儀鳳三年惠能太師落髮授戒韶州曹溪說法以正法眼藏付弟子懷讓行思神會等信衣留鎮曹溪]普風揚播動有二僧爭論[去声]一云風動一云旛動。六祖曰風旛非動[言非風動亦非旛動]動自心耳[言乃汝心之所動僧行者但正其心不必論風旛]

傳衣鉢傳授佛法謂傳衣鉢[上賜下曰授]語録五祖弘忍[唐高宗咸淳三年在黃梅以正法眼藏及信衣付弟子頭陀惠能示寂東山別出神秀禪師是為此宗]以法寶及所傳袈裟付與六祖盧惠能[法宝鉢盂錫杖也]池州使[音事]君[使君太守也]問曰[池字至此通為一句]會中五百僧。不付衣鉢為[去声]甚付與盧行[音幸]者[甚何也使君問五祖為何]

獨付衣鉢與盧行者行者即六祖惠能也五祖曰。雖有五百人四百九十九人會佛法會佛法者披曉佛教通達經典講論說法。及應佛行科趣度習此徒事於外心且不能悟道惟盧行者不會佛法讀他則悟道盧行者不識字。以故不會佛法。他者指盧行也言其能悟道於此但舉其一事而言五祖謂五百僧曰誰作無象偈即傳與衣鉢首坐一僧作偈云身似菩提樹心如明鏡臺時時勤拂掃。何處惹塵埃盧行聞之曰。拂家本是空於此仍有象即敗之云。菩提本無樹明鏡亦非臺。時時不用掃何以惹塵埃。五祖驚曰此全悟道脫然無象無應矣○似如此之悟非一且謂之過量去声人盧行過於有智量則為過量之人方傳得衣鉢

傳燈 僧傳度小師謂傳燈（杜甫望牛頭寺詩）傳燈無

白日釋書以燈譬喻。謂能破暗也。六祖相傳法。故云傳燈。今有傳燈錄○趙次公曰。燈所以照夜。而白日亦有之。故云無白日此言長明燈也

飛錫 請僧云望飛錫來臨（高僧傳）去声有神僧飛錫凌空而行凌歷也。歷者過也。（天台賦）天台山名振金策之鈴鈴策錫也。金錫振動鈴鈴然飛声也（釋子云）遊行僧為飛錫安住僧為掛錫凡為僧必有錫杖上有環鈴然之声。行則飛坐則掛

祝髮 賀僧披剃從教讀頂相去声堂堂披披着袈裟也剃削去髮也。從教從佛教也言既從佛教剃髮露頂相覩堂堂（唐書）祝髮祝斷也（剃章）剃斷産

僧剃髮曰剃章

圓寂 僧亡曰圓寂（順寂）（真寂）

離此殼漏子（殼音康入声）（傳燈録）洞山良价和尚將圓寂謂衆曰。離此殼漏子（殼漏子自身也）向什麽處相見。衆不對師儼然坐化

隻履西歸（後魏）二十八祖達磨（中天竺國。佛起自初祖大迦葉尊者至達磨乃二十八祖梁武帝天通元年達磨始至中國為一祖）端居而逝（逝音世○端居端坐也。逝䰟䰟脫殼去也達磨自梁至魏於是化去也）後三歲魏宋雲使（音事）西域而（西域屬甘肅今肅州府是也）遇師于葱嶺手持隻履翩翩獨逝問師何往（句）曰西天去（達磨咨）明帝起壙（音曠○壙未燒之人所瘞穴也達磨未燒明帝起開其墓而視之）惟一華履存焉

闍維（闍音蛇）僧亡梵化曰闍維（茶毗）（音皮）天竺（音竹）第九祖入滅（入滅坐化也○周敬王三十三年伏䭾密多尊者入滅盡三昧示寂以正法服付弟子脇尊者紹祖位）衆以香油旃（音占）檀闍維真體（栴檀梅檀香木也闍維即荼毗火焚也衆人以香油栴檀而燒其躰）（墨客揮犀）東坡宿曹溪（曹溪韶州六祖道場今為宝林寺）借傳燈録讀燈花落燒一僧字即以筆記窓閒曰曹溪夜岑寂（岑寂者寂静也）燈下讀傳燈不覺燈花落茶毗一箇僧

梵刹（音察）稱呼僧寺曰梵刹（盛刹）（要覽）梵云刹瑟故此

云竿今略名刹即旛柱也沙門得一法者即當建

旛告四遠建立也四遠四方也

拓提 拓音托寺曰拓提後人誤以拓為招梵語之中有拓鬪提奢之說故云拓提拓提者十方寺院是也蘭若音若唐武宗毀拓提蘭若四十萬區蘭若空寂處也武宗不信佛法故毀壞寺院四十萬所杜詩更宿拓提境蘭若秋風晚

寶坊 寺曰寶坊雞跖集跖音只○跖足底也呂氏春秋善學者若齊王之食雞跖食其跖數千而後足著書者取此義○群王許善學者若齊王之食雞必食其跖數千而後足宋景文名其集曰雞跖本此給孤長音掌者布黃金地為伽藍伽藍華言衆園故寺號寶坊

蕭寺 稱寺曰蕭寺梁武帝姓蕭好音號佛創佛寺創造作也命蕭子雲飛帛大書一蕭字飛帛詳見後第九卷字學類八休書之下後李約見之買歸小齋玩之句號蕭齋出國史補

方丈 長老所居室曰方丈丈室唐顯慶中顯慶高宗年號王玄策使音事西域西域小國名餘見前至毗耶城有維摩居士石室以手板縱橫量平声之得十笏手板長一尺故云方丈

真印 讃僧曰得大鑒不傳之真印大鑑謚六祖也謚者死後尊称也

初達磨奉（逢上声）佛衣来（梁武帝時達磨自天竺國奉佛衣来入中國）得道者傳付以為真印（佛有信衣世世相傳表証至達磨奉其衣来有能得道者傳与以為真印）至大鑒無傳焉（六祖受戒韶州曹溪説法乃置其衣而不傳○言真印不轉而能得之是乃讃僧之辞也）

楊枝水

謝僧醫病曰辱酒楊枝之水佛圖澄天竺人妙通玄術善誦咒能役使鬼神石勒聞其名召試其術澄取鉢盛（音成）水燒香咒之須臾鉢中上青蓮花勒愛子暴病死澄取楊枝沽水洒而咒之遂蘇（音諫○死而復生曰蘇）

百尺竿頭進步

言增添工夫向上進一步招賢大師偈曰百尺竿頭不動人（雖百尺之高猶未足以動人）雖然得入未為真（雖然得入空門為僧未及修猶未足以為真也○此与孔子云升堂矣未入於室大意相似）百尺竿頭更進步（言得為僧若百尺竿之高更須增添工夫）十方世界是全身（言若能加於勤修則是十方世界之中一全身得道者也）

○鬼神類

木居士

木刻神像曰木居士（韓愈木居士廟詩）偶然題作木居士（題題衆人之名勸化以施財也施則刻木為神像也）便有無窮求福人（雖偶然作之便有人求福而不已也）

馬耳缺 事前定曰馬耳之缺歐公云丁元珍嘗夜夢與余至一廟歐公歐陽文忠公廬陵人也元珍名寶臣晉陵人與歐公同年出門見馬隻耳後元珍除峽州除峽州作判官余亦除夷陵令去声一日與元珍同泝音素峽泝逆流而上謁黃牛廟入門惘然皆如夢中所見門外石馬果缺一耳缺壞也石馬俗本作泥馬誤詳見蘇文書歐公黃牛廟詩後歐公詩首云大川雖有神淫祀亦有俗石馬繫祠前山楊噪叢木相視大驚以此觀之豈非前定

無鬼論去声下同阮瞻嘗作無鬼論阮瞻西晉阮咸子也忽有一客來坐議論風生以為有鬼風生言速急不可當瞻以為無鬼爭論不已客言吾即鬼也於是不見

山鬼力量有限量平声佛修行山中常有外魔現怪佛曰山鬼力量有限老僧不答無窮

○隱逸類

考槃音盤遁身避世自成其志曰考槃詩考槃三章考槃在澗叶為兼碩人之寬叶為圈○考成也槃盤桓之也言成其隱處之室也○陳氏曰考扣也槃器名蓋扣之以節歌如鼓盆拊缶之為樂也二說未知孰是碩大也寬廣也○詩人美賢者隱處澗谷之間而碩大寬廣無戚戚之意而不忘其樂也

樓迹 自敘曰樓迹丘壑杭入声漢敘傳去声班固曰漁釣

於一壑，則萬物不干其志（壑，幽深之處也。干，犯也。言釣魚以遂其志，天地間雖有萬物，心無所慕，則無相干犯也）。棲遲於一丘，則天下不易（音亦）其樂也（音洛。棲遲，遊息也。丘，丘陵小土山也。易，換也。游息一丘，可樂之甚，雖以天下與之，亦不換也）。

泉石膏肓（肓音荒）

自叙不仕之意曰病在膏肓。唐田遊岩隱箕山，高宗幸嵩山，親（讀）至其門，遊岩野服出拜（天子所至曰幸，猶言徼倖得天子至也。野服，隱處常服也。雖見天子，不餘勝服而遂拜）。帝曰：「先生此佳否？」答曰：「臣所謂泉石膏肓，烟霞痼（音固）疾者。」（心上曰膏，膈下曰肓，皆難療之處也。痼疾，堅久之疾。此言愛山水之深，專慕泉石烟霞，以棲隱中心不改，如疾難療也。）

桑麻交

杜詩：雖為尚（音常）書郎，不及村野人（言雖為官，且不及村野之人無所拘束而可樂也）。藹藹（音愛）桑麻交（藹藹，桑麻繁茂之貌。田野之人欣欣然相見，無雜言，但問桑麻長）。公侯為等倫（等倫，相並也。言公侯則為仕官之交，在田野則有桑麻之交，豈非相並而等倫也）。

○自足類　新增

不愧少游（游音紹）

知足無求曰不愧少游足矣。漢馬援弟少游云：士生一世，但取衣食纔足（纔，始初也。言始初得衣食之足），乘下（遐上聲）澤車（下澤車，小車也。《周禮·車人》為車，行澤者欲短轂，謂度水除轂度

後復駕之而行騎疑毀馬疑猶遲也毀形也言形毀遲緩也使鄉里稱為善人足矣。致求贏餘苦耳

安步當車當去聲下同（國策）顔蠋音燭齊人云安步以當車安步徐徐然緩行也晚食以當肉晚晏也。言待飢時喫飯則甘其味可當肉也猶言飢者易為食也

巢林一枝斗室自安曰巢林一枝（莊子）逍遥遊篇鷦音焦鷯音聊巢林不過一枝鷦鷯小鳥名剖葦食其中虫一曰洮虫○言小鳥為巢不過一枝不能濶占鼴音衍鼠飲河不過滿腹鼴鼠大如牛。無尾黑色好偃河而飲偃者以身覆仆於水中○言大如牛之鼠飲於河惟滿其腹而已豈能用盡河水耶此盖堯讓天

下於許由許由曰子治天下天下已治也而我猶代子吾將有為君之名乎。云云鷦巢林不過一枝鼴鼠飲河不過滿腹煩休息乎逝禪之語終不受

○農田類

蓑笠共談蓑音梭讃羨農人曰蓑笠共談忘情利祿（棄）（正則文）正則名適號水心而作此文農蓑圃笠耕者治於農圃而以蓑笠自隨共談隴畝間農人相逢談論之間但言稼穡不思利祿（膏腴）上高下余稱其田之好者曰膏腴張禹內殖音適財貨殖長也及富貴多買田至四百頃一百畝為一頃四百頃通該四萬畝矣皆涇音經渭灌溉音盖極膏腴涇渭二水名涇水出原州百泉縣笄頭山

東南至永與軍高陵入渭二水出渭州渭源縣鳥鼠山至同州馮翊縣入河合流之際始知逕濁渭清未合之際猶未覺也灌溉蔭注其田而不旱。膏腴田肥也

求田問舍 許汜音祀見陳元龍汜見元龍事見後第六卷声名類湖海士之下劉玄德即蜀先主謂汜曰今天下大亂玄德漢景帝之後欲興漢當此之際獻帝世衰曹操孫權為亂欲滅漢所望君憂國忘家有救世之意玄德望汜忘其家以憂國匡救安之亂而君求田問舍言無可采采取也

○漁釣類　新增

江湖散人 散音傘無繫累曰江湖散人（唐）陸龜音鳩蒙以舟載茶竈筆牀釣具。徃来江湖號江湖散人繫累猶執縛而事冗累身也。閑散無拘束之人。樂志於江湖之上也

玄真箬笠 箬音若（唐）張志和。號玄真子。自作歌曰青箬笠箬竹小葉大新摘其葉以叙雨笠其色猶青故號青箬笠綠簑衣新割椶毛穿成雨衣其色猶綠故號綠簑衣斜風細雨不須歸雨具相隨雖風雨而不務歸但樂志於江湖者也

釣徒 張志和號烟波釣徒垂釣江湖而不設餌。音二餌釣陷魚者志不在魚其志不務得魚故不設餌垂空釣以樂其心

羊裘垂釣（漢）嚴光字子陵子陵本姓莊避明帝諱改姓嚴子陵釣於嚴州七里

灘故改嚴為姓少音紹與光武同遊大學。及帝即位帝光武也光
隱身不見音賢去声帝令去声物色訪之物色謂畫其子陵之形象顏
色訪求之已以形貌衣服人物而言之後齊國言有一男子披羊裘
釣澤中。帝疑光。備禮聘之微子陵既至不屈光武与子陵同卧子陵以足
加帝腹明日太史奏客星犯御座甚急。上曰朕与故人子陵共卧耳拜諫議大夫不肯受。去耕釣隱
富春山中而樂○按漢書光武得天下皆由子陵之指教

○商賈類

窺窬分毫 窬音子 作商而歸謝人曰窺窬分毫耳晉成窺私
伯陽市賦談智於尺寸之間窺窬於分毫之際

視也。窬門邊小竇也尺寸分毫十絲為毫十毫為釐十釐為分十分為寸。十寸為尺。言小利也談智
不遠窺窬不廣作商者引此以自謙言其所得財利若此之不大也

雍樂 武音洛 作商歸謝人曰雍樂之志未能忘情耳雍樂
善貨財殖心欲效之以故不能忘 **貨殖傳** 行賈音古丈夫賤行音幸也
出商於外者勞苦賤其身也 而雍樂成以饒販音犯脂讀辱處音佇
也饒販賤買貴賣也脂牛羊有脂膏也樂成以饒販牛羊為賤羞辱處於此事也而翁伯
千金翁伯漢人販脂而至千金富傾縣邑○雍樂成雖以為耻而翁伯因此而至極富也

倚市門 富而可求則市門可得而倚矣貨殖序凡編
户之民編户編排户籍計其丁口田粮以造鄉也富相什同十則卑下之

相什者家資如已十倍之多則當讓卑居其下也百則畏憚之百。家資乎百倍也
則役十家資千倍也役為工於其家而役使也萬則僕萬家資萬倍也。則為其家奴僕
矣物之理也此言物理之定然貧事富賤事貴也夫音扶用貧求富。農
不如工。工不如商。刺音七繡紋不如倚市門。此言末
業貧者之資也言已上之所為乃微末之業貧者易以得利所以為貧者之資助也

收息百三今人解庫是其遺意解庫后王量其貨物而抽分遺下收息百
三之意後人所以效之王莽令去聲市官收賤賣貴王莽弒漢平帝自為天子擅行此法賒貸與民收息百月三賒借貸也。息利錢也百。一百箇賤也
月。每一月也三收取三箇錢也謂借貸錢一百箇每月取利息錢三箇如銀一兩每月取利息銀三

分是也

為鬼所笑（宋）劉伯龍歷位九卿郡守歷。過也。位。官爵位也。九卿漢以
太常光祿尉衛大僕廷尉鴻臚宗正同農少府為九卿郡守若今知府是也。伯龍皆為過也（釋註）廷
尉郎大理少府即大府貧窶渠上声尤甚嘗在家將營什一之
方營為也。方。法也什一之方十分取一之法。若周之計畝均收賦稅大率民得其九公取其一。楊
氏所謂什一者。天下之中正也一鬼在傍撫掌大笑。伯龍乃歎曰。
貧窮固有命。固真然也乃復為鬼所笑遂止止。其法竟未成也

〇送行類

祖道餞遠行者曰。祖餞行軒祖祭名軒軒車也言祭餞行軒之神也（漢）

〔疏〕踈同廣疏受乞骸骨歸廣為太子大傅是叔受為大子少傅是姪○周制大師大傅大保為三公少師少傅少保為三孤乞骸骨乞致仕使骸骨歸葬於鄉土也公卿故人設祖道供去声張去声東都門外祖道古之行者必有祖道之祭祭畢處者送之飲於其側而後行也供張者陳設也送者車數百兩良去声○一車兩輪曰兩○祖道送行之際因饗飲註見上文昔黃帝子纍音累祖好音淲遠遊死於道纍祖死於道故云祖道後人以為行神故祭之以保行程也

脂轄閑入声叙將出行者起居脂轄戒嚴戒嚴整肅斉備也〔左傳〕襄公三十一年鄭子產曰巾車脂轄巾車主車之官。則以脂塗客之車轄

轄車軸也。以膏塗之使旋轉快也隸人牧圉各瞻其事徒隸之人與夫牛牧馬圉各瞻視客之所為以供事○此蓋子產相鄭簡公。朝晉。子產使人盡壞。晉寓館舍墻垣。使車馬從垣墻而入晉平公使士文伯責於子產。云云子產對曰云云吾聞昔晉文公為盟主宮室卑小無觀臺榭惟以崇大諸侯之館舍。令司空以時平治道路塗者。使之以時塗館舍之宮室。諸侯賓至則有甸人。以設照庭大燭。有僕人以夜廵警于宮中廏之車馬。有所安處賓之僕從有人代役中車脂轄隸人牧圉各瞻其事云云於是晉侯見鄭伯有如礼厚其宴好而帰之乃築諸侯之舘〔詩〕泉水篇載脂載舝鞋去声〔還〕音旋車言邁脂以脂膏塗其舝使滑滓也舝車軸也。不駕則脫之設之而後行也还。回旋也。旋其駕来之車也邁行也遠也

趣裝趣音促下同趣裝戒嚴〔漢〕曹參為斉相去声下同○漢高祖第一

子刘肥封為齐王曹參相之及蕭何薨呼肱切○漢高祖疾甚吕后問陛下百歲後蕭
相国死誰可代之高祖曰曹參參乃趣治音持行裝趣与促同速也。治理也曰
吾且入相數日果召參代何為相代替也代何二字本多矣。何既
死果以參代何

治任壬平声東擔音桓曰治任（孟子）滕文上章昔者孔子沒孔子
既沒葬魯城泗上三年之外門人治任將歸三年古者為師心喪三年。
若喪父母而無服也治整理也任行李擔也。門人將歸入揖於子貢相向而哭皆失声。然後歸子貢
反築室於場上之壇獨居三年然後歸

贐行贐音信以物送行者曰贐行（孟子）公孫丑章句下

孟子於宋餽音匱七十鎰音亦而受餽送贈也送金七十鎰每鎰三十两總二千一百两孟子曰。當在宋也予將有遠行行者必以
贐贐送行者之礼也。昔孟子在齐齐王餽好金一百鎰而不受。於宋餽七十鎰而受陳臻問曰齐
餽不受宋餽受之其故何哉。孟子荅曰齐之餽予未有所処而受之是貨之也宋之餽予有遠行之
故而受之以充路費也辭曰餽贐句予何為不受辭曰餽贐。孟子引之
彼言餽我遠行之贐則我何為而不受

行色謂人將行者有行色（莊子）盗跖篇孔子說音稅盗跖
音只○說以言化人使從己也盗跖柳下季之弟也。從卒九千人橫行天下侵暴諸侯驅人牛馬取
人婦女貪得忘親不顧父母兄弟不祭先祖故孔子往說之曰將軍有意听臣。臣請南面使吳越比

使齊魯東使宋衛西使晋楚使為將軍造大城數百里立數十萬户之邑尊將軍為諸侯與天下更始罷兵休卒收養昆弟共祭先祖此聖人才士之行而天下之願也盜跖大怒曰汝不耕而食不織而衣搖唇鼓舌妄生是非以汝所宗尚者堯舜等堯舜有天下子孫無置錐之地湯武為天子而後世絶滅介子推尾生等皆離名輕死不念本養壽命者也人上壽百歲中壽八十下壽六十除病瘦死喪憂患其中開口而笑者一月之間不過三四日而已天與地無窮人死者有時亟去走歸無復言之孔子退歸遇柳下季季曰闕然數日不見車馬有行色得微往見跖耶微。非也

戴星 早行曰戴星而往（呂氏春秋）秦相呂不韋集賓客作 虙音伏子賤為單音善父音甫宰單父縣名宰知縣也彈琴不下堂而單父治設法令人各掌其事以故有暇而專彈琴巫馬期為單父宰戴星出。戴星入而單父亦治巫馬期事事以已力行之不能任人星未沒而出。星已出而方入故亦治焉。此節之義可與後第九卷。縣宰類琴堂之下通看

乘興 去声下同 有所往云乘興（晋）王子猷居山陰山陰在會稽縣夜雪初霽月色清朗四望皓然忽憶戴逵音葵。憶思慕也逵時在剡音閃。剡溪名在會稽便乘小船詣之詣往造也門不前而返至逵門而不入遂返人問其故句曰乘興而來興盡而返何必見戴安道耶戴逵字安道

附驥 絛遊人行云附驥（公孫述傳）蒼蠅音盈之飛不過

數步附托驥尾得以絶群（驥良馬也一日走一千里之遠）

假道 嘗經人鄉里云假道鄭鄉（嘗、曾也。曾經過也。）言（左傳 僖公二年）晉以屈（音厥）產之乘（去声。○晉大夫荀息請命於晉獻公以屈地所生之良馬。四馬駕一車曰乘）與垂棘之璧（垂棘之地出美玉。璧美玉也）假道於虞以伐虢（假，借也。自晉伐虢道出於虞故以馬与璧送虞以借道也）

驪駒（音離 居）客別歌驪駒（大戴記 漢戴德著）驪駒逸詩（逸詩遺逸之詩）客欲去歌之文穎曰其詞云（文穎言驪駒之詩詞）驪駒在門僕夫具存（驪馬深黑色駒二歲馬也以此色之馬以駕車言驪駒既在門則僕俱存以俟行也）驪駒在路僕夫整駕（言馬牽車在路則僕夫整整駕御車也）

陽關曲 送別唱陽關曲（王維詩）渭城朝（音招）雨浥輕塵（浥濕潤也）客舍青青柳色新勸君更盡一杯酒西出陽關無故人（陽關在長安西）後人以爲陽關曲三疊（音鉄）唱之（二疊以後三句重唱之也）

○行後類

行色 杜甫奉高使君（高適字達夫唐時人爲使君使官太守也）行色秋將晚交情老更親

嚴程嚴駕（嚴急切也）問人遠行曰嚴程在幾時（杜甫送長孫判官）問君適萬里（適往也）取別何草草（草草猶匆匆不得子）

細也天子憂凉州凉州漢武威郡唐屬沉古乃河西節度治所不可失故天子憂嚴
程須到早（曹子建詩）僕夫早嚴駕吾將遠行遊

○水程類

錦帆 問人行曰錦帆何日掛（杜甫送王判官）王判官扶侍歸
黔中杜甫作此詩送之得聞字大家音姑東征逐子回大家指言王判官母。以班
氏比之也后漢曹世叔妻班彪之女名昭字惠姬和帝數召入宫令皇后貴人師事焉號曰。大家子
穀為陳留長垣縣長大家随至官作東征賦以叙行李杜甫引之以此王判官母也子指王判官也
風生洲渚錦帆開桃船上風幔以布為之掛以張風行船錦者讃美之辞也

牙檣錦纜（杜甫泛舟詩）春風自信牙檣動檣帆柱也（古詩）象牙

帆檣遲日徐看錦纜牽隋煬帝錦纜龍舟牙檣錦覽皆引之以讃美也

○問歸類

錦歸 榮貴還鄉曰錦歸晝繡漢朱買臣上音賞書武帝
拜為侍中拜受官者拜以謝恩遷會音繪稽音基太守會稽郡名也上
曰上武帝也富貴不歸故鄉。如衣去声繡夜行衣穿着也着繡夜行
人所不見買臣辭謝歸（誠齋贈李童子詩）誠齋姓楊又名万里字廷
秀庐陵人宋時宝模閣學士致仕杭家聞韓侂胄專權三日不食死謚文節春風晝錦
歸吾里

跋涉 音發設問遠歸曰。跋涉不易音意（詩）載馳篇大夫跋涉

我心則憂 草行曰跋水行曰涉○許穆公夫人衛國貽伯女也閔衛亡驅馳而歸以弔之衛未至於衛許之大夫奔走跋涉而來。以衛之亂欲止夫人之歸夫人見大夫来已先知矣言既不可歸弔是不能救我心則憂矣。乃作此詩自言其意

綑載 綑音坤上声 賀人得財歸曰。綑載而歸（國語） 魯史左氏既作春秋傳又集諸国之語此。作書故曰春秋後傳 綑載而歸 綑束也猶言束縛財物滿裝載而歸也

濯足 招遠歸者洗泥曰。濯足（異苑） 馬周初入京逆旅數公子飲酒不顧周 逆旅客舍也 周乃呼斗酒濯足 洗足也 衆異之

軟脚酒 與濯足同意（坡詩） 還須更置軟脚酒為去声君擊鼓行金樽（註） 郭子儀自同州歸。代宗詔大臣。就宅作軟脚局。人出三千 人各人也。各出三千以為軟脚局凡人出有賜曰餞路反有劳曰軟脚○三千不言何物不可考也

○醫者類

醫國 稱頌醫者曰醫國手段（國語） 注見前 晉平公有疾秦伯使醫和視之文子曰 文子晉大夫趙武也 醫及國家乎。對曰。上醫醫國 上等良醫則醫國家 其次救人固醫官也 官猶職也

神樓散音傘 辱賜神樓散一七音匙（漢武內傳）李少音紹君字雲翼好音號道入泰山採藥脩絕谷養身之術絕谷不吃飯也遇安期生仙人也少君疾困叩頭求活安期生以人神樓散一七與之散藥中湯劑之名七匙也服即愈服。吃也愈安也

杏林 稱美醫士功滿杏林（廬山記）董奉每治人病病愈令平聲種杏五株遂成林董奉令病愈之人種杏後上音賞昇董奉昇仙也

肘後方 肘音帚 葛洪抄金匱方百卷葛洪字稚川東晉人肘後要急方四卷肘手臂節也

照病鏡 葉法善有鐵鏡鑑物如水鑑。照也人有疾以照之。盡見臟藏去聲腑音府中所滯之物。然後以藥療之竟至痊愈

典從容職 從七春切（紀異錄）盧端為莊宗管記莊宗後唐李存勗也。管記掌書記之官會醫官陳玄補大原府醫學博士會正其時也。博士今教授是也端立草云草藁也既懷厚朴之才言陳玄之才敦厚純朴宜典從容之職言其動靜厚容不迫○蓋厚朴從容皆藥名端引之訊其元是醫官而意而言也

醫者意也（因話錄）許胤音印宗名醫良醫有名人問何不著

書問其何不著作擊書無法於後曰竪者意也夫人之病在乎心意之巧而知变也
脉之深趣不可言傳深趣深奥之妙處也

○地理類

青囊經（晉）郭璞傍入声字景純傳學而妙於陰陽筭曆。有郭公者客居河東精於卜筮音是○卜以龜殼占用火鑽之。以決吉凶命龜之辞曰。假爾泰龜有常○謂神人之交有常吉凶不可变也。故假借泰龜以占之○筮以蓍草五十莖揲以占吉凶焚香致敬執蓍在手以祝天地命筮之辞曰。假爾泰筮有常然後以蓍一莖置几上。以象太極。卻以四十九蓍。信手平分置右手所分之蓍於几。就取右蓍一莖掛左小指乃以右手。揲左之蓍。但以四莖揲之。末後自四莖及以下零者執于左手無名指。間又取先分右手之

蓍如前四莖揲之末後之蓍。與初掛之蓍相和置於几上。再用存蓍如前之揲共揲三次。以成三堆。五莖以下則為少。六莖以上則為多。三堆皆多是為老陰。乃為六爻三堆皆少。是為老陽乃為○爻一堆少兩堆多則為少陽乃為一爻一堆多兩堆少是為少陰。乃為一爻如此。揲蓍一十八遍。方成一卦。卜不吉則勿筮不吉則勿卜○漢京房始以錢代龜蓍簡略從易。不亦便乎（釋注）蓍音尸。揲音設。扐音勒掛音扬夬也從之受業郭璞從之以受卜筮之業公以青囊中書九卷與之遂洞五行天文卜筮之事洞。深遠也。五行金木水火土也。天文觀星象識風雲也卜筮見上文

葬龍耳（晉）元帝聞郭璞為去声人葬墳地微服觀之微服变常服私行以觀之謂主人曰。此葬龍角。必滅族。主人曰。璞

云此是龍耳三年當有天子至帝曰出天子耶曰非也。能使天子至此

○相者類

子卿唐舉 稱呼相（去声下同）若子卿唐舉。復見今日皮日休曰聖人之相人也。不差忽微（十纖為微。十微為忽。十忽為絲。十絲為毫。十毫為釐。十釐為分）不失累（音呂）黍（十黍為累。十累為銖）言其善必善言其惡必惡。言其勝（音申）任（去声）必勝任（勝任堪任用也）以今之人。不以是術行。其心區區。求子卿唐舉之術（子卿姓沽布相趙襄子者唐舉梁人相蔡澤子斯者）或有士居窮處困望一金

之助（讀已）有沒齒之難（齒年也沒齒猶言終身或曰。沒。無也。人老則無齒。至老難於得金也）有妄誕（音訣）之人。自稱精子卿唐舉之術。取其金易（音意）於反掌耳。有能以聖賢之道。自相其心哉

○談命類

李虛中術 得李虛中秘傳之術。李虛中最深於五行。以人之始生年月日。所直日辰。支干相生勝衰死旺（相去声○用事者旺所生者相如春木旺夏火相也）斟酌推人壽夭貴賤。利不利輒（音折）先處（音佇）其年時（輒。專也）百一不失一

○卜筮類

【決疑】問卜曰欲決疑爲（欲問詹尹）屈音厥原往見大卜鄭詹尹句曰余有所疑願因先生決之所疑者八條大意皆相似其三曰寧正言不諱以危身乎將從俗富貴以偷生乎詹尹曰用君之心行君之意龜策誠不能知事○此蓋屈原既於心煩慮亂不知所從設辞以雖卜者

【君平】稱卜者曰習君平之業（漢）嚴君平隱於成都以卜筮爲業日纔閱數人得百錢足自養則閉肆下簾講老子肆陳物而賣也老子即太上老君所作道德経益州牧欲屈之終不敢益州今成都府牧李彊爲牧民之官也

【兎卜】即今筊音告卜也神龍中神龍中宗年號西京壽安縣有墨石山神祠頗靈前有兩兎子過客投之以卜休咎仰爲吉覆爲凶

○巫者類

【季咸】獎巫者曰得季咸之秘術（莊）鄭有神巫曰季咸知人生死人見之棄而走

○畫者類

【善丹青】吳融畫山水歌良工善得丹青理良工能絵畫者最善得丹青之妙理輒向茅茨畫山水輒專也專向茅茨所盖之屋圖畫山水

惠崇小景 欲寫烟渚寒汀敢煩惠崇妙筆（荆公詩註 荆公即王安石）僧惠崇建陽人工畫鵝鷺鷥尤工小景善為寒汀烟渚瀟洒虛曠之狀又工詩

墨竹師承（山谷墨竹序）墨竹起於近世不知何所師承（師所從起者承則轉受說者言起於近世不知其所從）初吳道玄作畫連筆作卷不加丹青（道玄唐明皇時人宋避諱改為道子）予意墨竹之師起於此

六法 請畫者曰稔（音忍）聞六法精妙（稔熟也言熟聞知專相請也）（**畫品**）畫有六法一曰氣韻生動二曰骨力用筆三曰應物象形四曰隨類賦彩五曰經營位置（位置猶言鋪摧）六曰傳移模寫

妙畫通靈 稱頌畫工曰妙畫通靈（世說）顧長（音掌）康（即愷之）曾以一厨畫寄桓玄皆其所珎惜者（珎惜長康以其畫極好寶愛而重之也）玄乃發厨取之封題如初畫並不存直云妙畫通靈變化而去了（桓玄直云畫之通靈而誑於長康）無恠色（長康以其畫美實能變化不以為恠）

金陵畫壁（金陵今南京是也）近見金陵畫壁端拜敬服（水衡記）張僧繇（音由）於金陵安樂（音洛）寺畫兩龍不點睛每

云點之即飛去人以為妄因點其一須臾雷電破壁。一龍上（音賁）天一龍不點眼者見（賢去声）在（后山叢話）閻立本初觀僧繇金陵畫壁（句）曰得虛名耳再往曰猶近代名手也三往於是寢食其下數日而去夫（音扶）立本以畫。名一代（立本以善畫為一代之名手）其於張高下間（去声）爾（張僧繇也。間遠也。爾近也）而不足以知之（僧繇所畫高下遠近之趣立本所不能知）世人強其所不能而論能者之得失不亦踈乎（強上声 論去声）

鄭虔三絕（虔音黔）稱人畫山水曰得鄭虔之三絕（唐鄭虔善畫山水嘗自寫其詩并畫以獻（下奉上曰獻）帝大署（寫也）其尾曰鄭虔三絕（鄭虔鄭州人玄宗愛其才以為廣文館博士善畫山水好畫於是自寫其詩并畫以獻帝書三絕畫好一絕也詩好二絕也字好三絕也）

王墨山水 王墨復生不過是也（讚人畫之好也）王墨善潑墨號王墨善畫酒酣（音含）之後（酣張晏曰中酒也應邵曰酣治也言其飲之多也）先以潑墨綃脚蹹手搨（音門○搨以手撫持也）隨其形象為山為水為石為樹倏（音東）忽造化不見其墨汚之處

寫生 謝人惠花軸曰蒙惠寫生敬當珎襲（珎宝重也 襲封褁也）

黃筌音痊父子畫花妙在賦色。用筆極細殆不見墨跡殆近也但以輕色染成謂之寫生江南徐熙。以筆畫之殊草草草率殊甚畧施丹粉。而神意迥出別有生意筌惡烏去声其壓己言其粗俗不入格罷之罷之不取也熙之子。乃效諸黃格諸助語字。黃格黃筌格式也熙之子。以其有妙處而效之更不用墨筆直以采色圖謂之沒骨圖凡人皆用筆起藁見形露跡若有骨全用色染成絕無墨跡所謂沒骨筌不復能詰於此精妙不復能毀矣遂得齒院品畫院之品第齒列也。以其畫之美遂得列於畫院。品級之先也然其氣韻氣韻生意活象也不及熙遠甚

崔白翎毛　謂畫者曰。稔聞妙筆得崔白之遺崔白濠梁人攻畫句雖以敗荷鳧鴈得名讀然尤精花竹翎毛

好手杜詩　畫師亦無數。好手不可遇

○傳神類

寫照　傳神寫照謂傳寫人之形神以傳於後也顧長音掌康每畫人數年不點眼人問之荅曰傳神寫照。正在阿堵中阿堵猶言那箇○愷之傳阿堵眼也所謂眼者眼目之總名也

寫真　趙縱令平声韓幹周昉寫真令使也郭汾音墳陽女曰

郭子儀封汾陽王以女嫁趙縱前畫得趙郎狀貌後畫兼得其神
意情性笑語之姿此節大畧詳見下節

神氣情性 請人傳神曰神氣情性尚賴周昉之丹青
句周昉窮丹青之妙郭令公子婿趙縱侍郎嘗令
韓幹寫真復請昉寫未能辨其優劣恋入声○郭子儀嘗為中
書令號令公子婿女婿也。趙縱為侍郎優饒也好也劣弱也趙國夫人歸省星上
声○夫人趙縱妻也省省視父母安否也令去声公問此畫何人對曰趙
郎。又云何者最似答云兩畫俱似前畫空得趙郎
形貌後畫兼得其神氣情性

顧虎頭 請傳神者曰。聞君得顧虎頭之遺筆顧愷之為虎頭
將軍〔畫品〕云愷之字長康小字虎頭二說未知孰是坡云傳神之難在目目重
瞳子也顧虎頭云傳神寫照在阿堵中阿堵中已見前寫照之下
南都程懷立眾稱其能讀於傳吾神大得其全吾眾
人自謂已也眾人称其傳吾神大得全躰之妙懷立舉止如諸生諸助語字也言
懷立所傳之神舉止儼然如生而有神氣也蕭然有意於筆墨之外者
傳神不精者拘拘事於筆墨執着描摸。且無生意懷立之畫超越於筆墨之外。而有自然生成之象
似未周筆畫也

麋鹿之姿 自稱曰麋鹿之姿尚賴叔瞻之妙筆〔晦庵〕

送寫照郭拱辰序（宋朱熹字元晦號晦庵謚文公）曰世之稱傳神寫照者（句）能稍得其形似已稱爲良工（良工巧手善畫也）今郭君拱辰叔瞻（拱辰字叔瞻）乃能與其形神意趣而畫得之斯亦奇矣云云爲（去声）予作大小二像宛然麋鹿之姿林野之性（麋鹿之姿朱子讓言己之容貌即不過優遊山林田野之間以樂夫天性之真嘆道不行於時之意）持以示人雖相聞而不相識者亦知其爲予也

金粟影筆法 稱傳神者曰金粟影筆畫維摩（古有維摩居士）（胡澹庵贈寫真劉琮序）（澹庵名銓字邦衡謚忠簡廬陵人）鄉老劉

琮慶先（名琮字慶先）大機精到（句）得金粟影筆法恨無褒鄂之丰骨以發其奇逢（褒公段志玄也鄂公。尉遲敬德也皆唐功臣澹庵自讓言我無褒公鄂公之丰骨以發見劉琮之妙手也）（杜詩）（送許八拾遺杜甫於許八處乞瓦棺寺維摩圖樣志諸篇末故下文詩云難忘）虎頭金粟影（虎頭注見前虎頭所畫金粟如来阿含經曰金沙地下便是金粟如来今云金粟影即維摩圖也維摩居士。乃是過大金粟如来）神妙獨難忘佛經有金粟如来謂愷之所畫維摩也。愷之於瓦棺寺畫一維摩（瓦棺寺在南京）閉戶往來一百餘日工畢（句）將欲點眼謂寺僧曰第一日開者責施（去声）十萬（責令也使令看者施捨也）第二日開可五萬第

三日開可任去声例貢施任委任也委任如前二日之例而施及開光明照寺施者填音田咽音謁○填咽觀者多塞滿也

○射藝類

貫虱 音色稱射者曰得貫虱之技技藝也列子戰国時鄭人列禦寇著書遂以列子名書紀昌學射於飛衛。衛曰。視小如大視微如著而後告我視微如著謂觀看隱微而如昭著有形象也昌以氂音离尾虱於牖音有氂野牛黑色尾虱咬人虫也牖閭窓也以牛尾吊虱垂於窓閭南面而望之旬月之間浸大浸逐漸也三年之後如車輪每日懸虱而觀之愈久則視小如大視微如著矣乃以弧音胡矢射之貫虱之心貫穿也謂射箭穿中虱之心也

觀者如堵 音覩○五板為堵看者多曰。觀者如堵記射義篇孔子射於矍音脚相去声之圃矍相地名家語孔子觀於郷射喟然歎曰能脩身而後發矢而能中其人賢矣於是退而与門人習射於矍相之圃蓋觀者如堵墻外人觀夫子射環遶而立如墻之環言人多也

百步穿揚 奨射者曰有百步穿揚之巧史楚有養由基善射。去柳葉百步而射之百發百中去声

○愽奕類

愽奕 愽局戲奕圍基論語子曰不有愽奕者乎為之

猶賢已矣（未有好愽奕者可以為賢）

墮落坑塹

為人求薦舉曰此身墮落坑塹（麈史）欙（音欙）蒲經曰。凡近關及後一子謂之塹。近關及前一子謂之坑（關雙六盤中門也）落坑塹非貴采不能出（兩馬成雙把門則底上二馬雖出所謂落坑塹故曰非貴采則不能出矣）凡一馬打一馬。如遇六踏馬。則一馬可踏六馬（凡一馬單行遇一單馬打之可也如遇六馬占梁強行过去謂之踏馬謂每梁止容六馬）蓋故去指不循禮者。謂之踏坑塹（已嘗把門而不空強行过去謂踏坑塹）（鄭都官詩）能消永日是欙蒲（欙蒲双六也）坑塹猶来似宦途（言坑塹之處雖过也）蓋欙蒲所

難者在於過關以前後為坑塹畏墮落耳

橘中之樂

（音洛）請人奕棊曰。欲相與為橘中之樂耳。有巴卭（音窮）人不知姓家有橘霜後諸橘盡收餘二大橘如三四斗盎（烏浪切○盎盆也橘之大或張三斗。或張四斗）巴人即令（平声）攀橘輕重亦如常橘剖開每橘有二叟鬚眉皤（音婆）然（皤白也）肌躰紅明皆相對象棊身尺餘談笑自若（自若泰然不驚動也）但與決賭果（看完殘棊）一叟曰君輸我（云云）一叟曰君輸我（言君輸棊与我）後日先生於青城草堂還我耳一叟曰。王先生許我来竟待不得（因橘破以故等待不

得橘中之樂不減商山不減。一同也言橘中与商山一同商山有四老東園公綺里季夏黃公角里先生四人亦着碁但不得深根固蒂音帝於橘中耳。一叟曰僕飢虛矣須龍根脯食之即於袖中抽出一草根方圓徑寸形狀宛轉專上声如龍毫釐周悉毫釐周悉或曰草根如龍毫釐最小之處周遍悉皆如龍无異因削食之隨削隨蒲食訖以水噀孫去声之噀噴水也化為一龍四叟共乗之足下雲起須臾風雨晦冥不知所在

樗蒲 擲骰音投子賭樗蒲擲拋擲也骰子双六簺也擲簺打双六以賭采也言賭曰呼盧盧紅點也得紅點以為勝故賭博者但呼盧晉劉毅於東府

聚樗蒲大擲句一判應平声至數百萬一判双六一帖也或曰一會。一會先滿七帖也贏一判賭錢數百万餘人並黑犢以還黑犢双六簺黑點也其其餘之人並得黑點而輸之還回家也惟劉裕及毅在後毅次擲得雉大喜雉亦紅點叫謂同座曰。非不能盧不事此耳裕惡烏去声之因挼音那五木挼以手合而摩挲也五木五箇双六簺也古人用五子以木為之陳思王用兩子以骨為之曰老兄試為去声卿荅老兄劉裕自称也卿裕称毅也言我亦擲雉以荅於卿而四子俱黑一子轉躍未定裕厲音利聲喝之即成盧厉高声大之声毅意殊不快毅不意裕擲亦成盧

五白 五隻骰（音投）曰五白（杜甫令夕行）咸陽客舍一事
無（咸陽秦始皇立都之處也）相與博賽為歡娛（博賽打双六也）馮（音憑）陵
大叫呼五。白（左傳）馮陵敵邑。五白即今骰子也。袒（談上声）跣（先上声）不
肯成梟（晚平声）盧（袒裼衣露肩也。跣赤脚也。梟勝也。盧勝之名也。○劉宝与韓黄李根
寺樗蒲誓之曰丘云樗蒲有神若富貴可期頤得三盧於是三擲盡盧袒跣大叫○此言咸陽之客
雖若此袒跣亦不肯成梟盧也）（楚辭招魂）成梟而牟呼五白（梟勝也牟
倍勝也五白五采也）

六博 六隻投曰六博（韓詩）六博在一擲梟盧叱（音赤）回
旋

公子家 囊家（歷史）丘之斜（斜率）率蒱博者謂之公子家
（督集也有人率集賭博者於其家。故称公子家）又謂之囊家（公子家又謂之囊家收貯
賭博之錢又自能積錢候賭博者闕將以借之故謂之囊家）樗蒱經曰。一有賭
兩人以上須置囊合（音曷○一有賭言但一有賭博或兩人以上須置囊合囊
合所以收貯賭博之錢也）依條檢文書了（囊家專停賭博者立定文書贏者得錢幾
何。輸者罰錢幾何。故賭博者至其家檢看文書了後）投錢入囊家（賭博者皆出錢未賭
投落於囊家收掌）亦謂之録事（囊家又謂之録事所謂寫録賭錢之事）

賽（音塞）格（音各）五（說文）行棊相賽謂之賽（鮑宏賽經云）（賽经
着棊本也）賽有四采（賽即将邊士也。四采士縱行四角而賭采也）賽四乘五

是也四即縱行所至四角也五四角縱對中心故曰四乘五至五即格不得行格止也至五言士所至無過五處五之外即止不得行矣故謂之格五格五又謂之賽乃將邊士也〔類要〕吾丘壽王以格五召待詔待詔官名也壽王為君待詔為臣譬喻將為君士為臣故以士召待詔也

【撩零】撩音遼乞頭正元中正元三國魏高貴公卿年號宋清進博經一卷強上声名爭勝謂之撩零賭博者強求得名相爭以勝於人故謂之撩零假借錢物謂之囊家此句詳見前公子家之下計一而取謂之乞頭計一囊家計算賭博者一次之錢於內抽分有似於乞故曰乞頭

【博六雙六】〔說文事始〕烏曹氏始作博陸博陸采名也即是双六

〔續事始〕陳思王製雙陸局置骰子二唐末有葉子之戲遂加至六骰合作投投擲之義今作骰非

【重四賜緋】重平声緋音非〔閒談云〕投子飾四以朱者〔唐〕明皇與貴妃采戰將北采戰打双六也北敗也惟重四可轉敗為勝上擲連呼叱音赤之上明皇也叱喝也投子宛轉專上声而為重四上大悅命高力士賜四緋緋紅朱也今投子純紅本於此

【手談】〔世說〕支道林以圍棊為手談對坐無言以手着棊故曰手談

【坐隱】〔世說〕王中郎以圍棊為坐隱在哀制中哀制居喪守服制也祥後客來居喪周一年曰小祥再周一年曰大祥即用方幅為戲

四方白紙一幅界畫以為碁盤

楸局紋楸 音秋 碁盤曰楸局瑣言（唐）宣宗朝 音潮 日本國王子来朝善圍碁帝命待詔顧師言與之對手 師言為待詔待詔官名對手對着碁也 王子出本國楸玉碁局冷暖玉碁子盖玉之蒼者如楸木之色冷暖者冬暖夏冷

爛柯（晋）王質伐木至信安石室山 信安今衢州是也 見數童子圍碁與質一物如棗核含之不覺飢看碁未終視斧柯已爛 柯斧柄也 帰無復時人 年代已久及帰無復有舊時之人矣

○樂技類

鈞天廣樂 鈞音君（史）秦繆公夢至帝所觀鈞天廣樂 帝天上帝也鈞天淮南子云九天中央曰鈞天 帝賜以策秦遂大昌 策簡也

八能 書劄 音札 叙二至時令 去声 八能奏音（後漢）天子以冬至夏至御前殿會八能之士陳八音 八音金石絲竹匏土革木金鐘也石磬也絲琴也瑟也竹管也簫也匏笙也土塤也革鼓也鼗也木柷也敔也（釋註）鼗音陶小鼓着柄者敔音語刻虎以止樂 所樂均度 八能之士各執所能之樂器相和而奏於其前

細抹将来（開覽）宋陳正敏號遯齋着此書故名開覽 大祖内宴令 去声 進粉故名頭食後人宴終方薦此味盖失其次耳又

州郡公宴。将作曲伶（音零）人呼細抹将來（公宴今鄉飲酒是也）伶人。（奏樂之人也）盖衙宴樂先以絲聲發之（琴瑟篆箏琵琶阮壷琴之屬皆以絲為絃彈之故曰絲声）以後以衆樂和（去声）故號細抹将來（抹粉之細也）今所在興起樂和以行（管籥笙之屬皆以竹竅而吹之）不惟訛其名亦且失其次矣（惟独也言不独差訛名色。且失其次序矣）

羯鼓（羯音結）夷樂故以戎羯為名（羯鼓録）（唐）明皇尤愛羯鼓玉笛云八音之領袖（明皇云羯鼓玉笛乃為八音之領袖和叶於八音。所謂領袖也）春雨初晴。景物明媚（明媚者百物遇晴皆艶麗也）帝曰對此景豈可不與他判斷（端去声）之乎（判断宴賞以樂此景）乃命羯鼓臨軒縱擊一曲名春光好（羯鼓夷狄之樂命之臨於軒前一曲故名春光好）田頭柳杏皆發上笑曰此一事。不喚我作天公乎（明皇言回頭柳杏皆發。我若天公之能發生豈可不喚我為天公也哉）又製秋風高（製作也秋風高亦曲名也）至秋高迥徹（秋天無雲。天所以高迥徹者天之遠曠也）奏之（讀）必遠風徐來庭葉飛下（奏之奏秋風高之曲也徐來緩ゝ而来也）

樂句 柏板曰樂句（唐）韓愈皇甫湜（音寔）一代龍門（愈湜二公以文章德望為一代所宗尚常人不敢接見有能接見者名為登龍門蓋以此二公比李膺龍門後見後第七卷謁見類）牛僧孺携所業謁之（業。平生所為之事業也。特以謁見二

公其首篇説樂。韓見題即掩卷問曰且以拍板為什麽僧孺曰樂句人拍板。句句拍之八音奏動皆趁拍板方淂利叶於音声曲調之中且有長短急緩奏樂者隨而就之故曰樂句二公大称賞

○雜戯類

傀儡子傀音檜平声。儡音雷

樂府傀儡子起漢高祖平城之圍匈奴冠邊高祖。自将擊之閳冒頓单于居代谷悉發兵三十萬北逐至平城。平城縣屬大同冒頓精兵四十萬騎圍帝於白登七日。白登縣屬大同其城一面即冒音麥頓音特妻閼音氏音之兵強冒頓匈奴君長名。閼氏。匈奴称后也陳平知閼氏妬忌造木偶人舞埤音皮間埤城上垣墻木偶人以絕牽之舞於其間閼氏謂是生人慮下城冒頓必納之遂退軍史但云秘計秘計秘密之計陳平六出奇計此一計也鄙其策下耳不以此策為高

訝鼓戯

閑覧王子醇初平熙河教軍士為訝鼓戯訝鼓戯樂人為雜劇而跳躍也遂甚行于世世人皆效之子醇與西人對陣命軍士百餘人。為訝鼓隊出軍前虜見驚愕遂擊破之

筋斗筋音斤

教坊記上於天津橋南設帳殿酺酺音蒲三日帳殿。今之帳房酺。聚飲也酺之言布也。王德布於天下。今淂會聚飲食也。漢律二人以上無故群飲者罰金故賜帳乃淂聚會飲食。唐宋無帳禁亦賜帳者蓋聚作技樂年髙賜酒麺教坊一

小兒。筋斗絕倫（倫。相並也。言小兒筋斗之巧絕無人能與之相等倫也。）乃衣（去声）以繒綵（衣穿着也。繒絹帛也。穿着綵色之絹也）梳洗雜於内妓中（小兒假粧女子形狀）少頃緣長竿倒立（倒立頭向下足向上猶倒懸也）尋復去手（尋不久也。去手。不用手抱竿。惟以足掛竿如倒懸也）久之垂手翻身向下樂人皆愴所執（所執。皆樂人所執樂人也）宛轉於地大呼萬歲（宛轉者。徐徐然俯伏於地。而呼萬歲也）百官拜慶中使宣旨云（中使官名）此伎尤難近方教成（言此伎甚難近時方纔教成尚能如此。何况々。後習久其藝猶加焉）其實小兒也（此句乃作者顯明小兒假粧為女子也）

郭郎鮑老〈后山語錄〉曰楊文公即大年〈傀儡詩〉語俚而意近（俚鄙俗之言也）相傳以為笑其詩曰。鮑老當筵笑郭郎笑他舞袖大郎當（郎當袖長之貌）若教鮑老當筵舞轉更郎當舞袖長（教音交轉音專上声）

書言故事大全卷之四終